Omaggio a

Henri Cartier-Bresson

Homage to

Presentazione di / Forward by
Ferdinando Scianna

ALINARI

Questa edizione è stata realizzata da Fratelli Alinari, Firenze, in occasione della mostra "Henri Cartier-Bresson Fotografie e Disegni", Palazzo Medici Riccardi, Firenze 1 aprile - 27 giugno 1999

Direzione editoriale: Giovanna Naldi

Redazione: Fabrizio Bagatti

Traduzioni: Erika Pauli - Studio Comunicare, Firenze; Paola Facchina;

In copertina: Henri Cartier-Bresson, *Bruxelles, 1932*

Stampa: Arti Grafiche Pezzini, Viareggio

© 1999 per le fotografie by Henri Cartier-Bresson/Magnum Photos

©1999 by Fratelli Alinari, Largo Alinari 15 - Firenze
Tel.:+39-055-23951 Fax: +39-055-2382857
http://www.alinari.com   e-mail: info-more@alinari.it

ISBN 88-7292-280-1

Ero, nel 1988, con Henri Cartier-Bresson, altri fotografi di Magnum e alcuni suoi amici, al Palais de Tokio di Parigi per l'apertura della mostra omaggio per i suoi ottanta anni inaugurata dal Presidente della Repubblica francese François Mitterrand. È là che ho visto per la prima volta l'accostamento, concepito da Robert Delpire, tra quaranta celeberrime immagini del maestro e i testi che su ciascuna fotografia avevano scritto per l'occasione quaranta suoi amici e personalità della cultura internazionale. Quell'omaggio così originale e intelligente mi colpì molto per la perfetta rispondenza tra letteratura e fotografia che io da sempre propugno e che particolarmente calzante mi pare nel caso di Henri Cartier-Bresson. Mi commosse e mi inorgoglisce, naturalmente, anche il fatto di essere stato chiamato a far parte di quel gruppo di amici. Non per vanità, tuttavia, ho subito pensato, e l'ho anche suggerito in giro senza fortuna, che sarebbe stato bello consegnare in un libro questo splendido omaggio della scrittura, il più bello, secondo me, mai ricevuto da un fotografo, all'uomo che io considero l'occhio del secolo.

Si dice, secondo un ripetuto luogo comune, che un'immagine vale mille parole. Ma, notò una volta William Saroyan, questo è vero a condizione di saperle pensare, e scrivere, quelle parole. È vero anche, mi permetterei di aggiungere, se l'immagine ha dentro di sé la forza per farli scaturire dentro di noi quelle parole e pensieri. Diversamente, come in troppa cosiddetta critica che siamo costretti a subire, le parole parlano di cose che nelle fotografie non ci sono, e producono soltanto un'eco spesso inutile e assurda di se stesse.

Non è il caso, certo, per le fotografie di Cartier-Bresson, inesauribile miniera di pensieri, parole, emozioni dell'intelligenza e dell'occhio che se questi testi hanno suscitato, innumerevoli altri, ne sono certo, saranno capaci di provocare in futuro, tanto varia è la loro ricchezza e inalterata l'attualità.

Sono dunque contento di salutare, dopo dieci anni da quell'anniversario e preparandomi a festeggiare con Henri Cartier-Bresson i prossimi, la pubblicazione da parte di Alinari fosse pure di una parte soltanto di quei testi e fotografie.

Ferdinando Scianna

In 1988 I was at the Palais de Tokio in Paris with Henri Cartier-Bresson, other photographers from Magnum and a few of his friends, for the opening of the exhibition to celebrate his eighty years, inaugurated by the President of the French Republic François Mitterrand. Robert Delpire had had the brilliant idea of matching each of the forty photographs with a text written for the occasion by forty different friends and figures in the world of culture. I had never seen anything like this before, and what struck me particularly, in this original and intelligent homage, was the perfect correspondence between literature and photography, something I have always championed and which seemed particularly apt in the case of Cartier-Bresson. I am touched and proud to have been included in that group of friends.

At the time, and this is not meant as a vaunt, the idea came to me that it would be marvelous to present this literary homage, the greatest a photographer has ever received, in book form to the man I consider the eye of the century. At the time my proposals fell on deaf ears.

A picture is worth a thousand words. A commonplace expression to be sure, but as William Saroyan once noted, this is true only if you can also think, and write, those words. Let me add that for this to prove true, the picture has to be endowed with a force such as to elicit these words and thoughts. Otherwise, as in too many of the so-called critical reviews that are forced upon us, the words have little reference to the photograph itself, and simply produce an echo of themselves, as often as not useless and absurd.

This is certainly not the case where Cartier-Bresson's photos are concerned. They are an inexhaustible mine of thoughts, words, emotions of the mind and of the eye. They inspired these texts and the incredible range of their substance and their unaltered timeliness will continue to inspire countless others in the future.

Ten years have passed since that anniversary and now, preparing to celebrate other anniversaries with Henri Cartier-Bresson, I am happy to acclaim the publishing by Alinari of at least some of these texts and photographs.

Ferdinando Scianna

Questa immagine di Cartier-Bresson ha fatto nascere quarantun' anni più tardi un'altra immagine. Non ho potuto resistere a rielaborare a olio questa magnifica foto scattata a Bruxelles nel 1932. (*Gilles Aillaud guarda la realtà attraverso un buco accanto ad un collega indifferente*, olio su tela, 146 x 114 cm.; 1973).

Il fotografo ha sorpreso due spettatori. Uno in secondo piano guarda attraverso un buco praticato nella tela, tesa su dei picchetti, uno spettacolo di cui noi ignoriamo i dati. L'altro personaggio che potrebbe essere, perché no, Hercule Poirot, volge lo sguardo verso l'obiettivo.

L'uomo con il cappello guarda la realtà attraverso un buco. L'altro guarda la macchina fotografica. Noi, guardando la foto, diveniamo spettatori a nostra volta. Che lo vogliamo o no diventiamo parte della foto. Siamo tutti nella foto. Siamo tutti nell'obiettivo di Henri Cartier-Bresson.

Eduardo Arroyo

4

*This picture by Cartier-Bresson led to the creation forty one years later of another picture. The temptation was too great and I just had to rework in oils this magnificent photograph taken in Brussels in 1932 (*Gilles Aillaud looking at reality through a hole next to an indifferent colleague, *oil on canvas, 146 x 114 cm; 1973).*

The photographer has surprised two voyeurs. One, in the background, is looking through a hole in a piece of fabric stretched between stakes at a show about which we know nothing. The other figure, who could even be - why not? - Hercule Poirot, is looking at the lens. The man in the cap is looking at reality through a hole. The other man is looking at the camera. We, looking at the photo, become voyeurs in turn. Whether we want to or not, we become part of the photograph. We are all in the photo.

We are all in Henri Cartier-Bresson's tableau.

Eduardo Arroyo

Dietro la stazione Saint-Lazare, Parigi 1932

Raymond Queneau (in primo piano) traversa lo specchio a tutto gas, il tacco non tocca l'acqua.

Mezzogiorno e venti sul quadrante del capannone. La battaglia della rotaia sarà per un'altra volta, un'altra pioggia - benché la scala faccia già da longherone e la banchina un saluto. Sul ponte davanti (zoccolo della fotografia) lamiere e cerchioni giocano posatamente al monocolo, alla parentesi. In alto la carriola è ancora di legno. L'inferriata, in ghisa come non usa più. Nel manifesto, Brailowsky ha appena perso una B dall'occhiello nero. La sillaba SKY su fondo bianco: e se René Magritte la prelevasse per dire CIELO? Lo sfaccendato di spalle non ha una Leica in tasca, una matita discreta o un pennello. Con una stretta al cuore, egli ascolta il battito delle macchine a vapore, osserva un'altra scena in cui non si vede più.

Pierre Alechinsky

6

Behind the Gare Saint-Lazare, Paris, 1932

Raymond Queneau (in the foreground) crosses the looking-glass at full speed, neither heel touching the water.

Twelve twenty on the turret clock. The battle of the rail will have to wait - some other time, some other rain - although the ladder is already a stretcher and the plank salvation. On the deck in front (bottom of the photograph) hoops and rings make believe they are monocles, parentheses. The wheelbarrow above is still wood. The railing, in cast iron the way it used to be. In the poster, Brailowsky has just lost a B from his black boutonnière. The syllable SKY on a white ground: and if René Magritte were to take it out and use it to say HEAVEN? The idler seen from the back has no Leica in his pocket, no unobtrusive pencil or paint brush. Wistfully, he listens to the pulsing of the steam engines, observes another scene where he can no longer be seen.

Pierre Alechinsky

Vedere non è dare a vedere. Ogni fotografia di Henri Cartier-Bresson verifica l'assioma. Per lui la fotografia è la geometria, nello spazio e nell'istante, messa al servizio dell'espressione di un fatto. Dura scuola. Costante ascesa. Necessaria intuizione. Rapidità di esecuzione. Si vede il risultato.

C'è, in questo istante congelato, una così esatta e sensibile corrispondenza delle masse, dei valori, dei piani, delle linee, una tale musicalità che si immagina sia minuziosamente elaborata. Invece no, è il contrario. Nel gioco quotidiano della luce e del caso egli ha la velocità folgorante dei predatori. Cartier-Bresson è l'argento vivo della coscienza.
Inoltre chi dirà perché questi tratti di muro sivigliani si sovrappongano così facilmente sulla prima fotografia che sia mai stata fatta. È questo il genio francese che lega tanto Cartier-Bresson che Niépce, l'uomo della Normandia e quello della Borgogna, da molto più di un secolo. Non rispondete, sognate…

Robert Delpire

8

To see is not the same thing as making visible. Every photo by Henri Cartier-Bresson verifies this axiom. For him photography is geometry, in space and in a moment in time, instrumental in expressing a happening. A difficult discipline. Ever upward. A need for intuition. Quickness of execution. One can see the results.

There is such an exact and sensitive correspondence of masses, values, planes, lines, such a musicality, in this moment frozen in time that one might think it had been planned down to the smallest detail. But that's not what it is at all. In the daily play of light and chance, he has the lightning speed of a predator. Henri has a mercurial awareness. Moreover who can say why these stretches of Sevillian wall are so easy to superimpose on the first photograph ever made. It is the French genius which links Cartier-Bresson to Niépce, the man from Normandy to the man from Burgundy of more than a century earlier. Don't answer, just dream…

Robert Delpire

La straordinaria capacità di Cartier-Bresson di cogliere in una sola fotografia la sintesi di una particolare condizione umana, di un particolare avvenimento, ha in questa fotografia qualcosa di prodigioso. Se non portasse la dicitura "Siviglia, Spagna, 1933" e ci si desse da indovinare luogo e data, diremmo che è stata fatta in un Paese dell'Europa mediterranea: in Spagna tra il 1936 e il 1939, in Sicilia o in Grecia verso il 1943. In uno di questi paesi, insomma, dopo la guerra. Il fatto che sia stata fatta invece a Siviglia nel 1933, tre anni prima dell'*alzamiento* e della guerra civile, le conferisce un senso di ineffabile, misteriosa premonizione. Sono, obiettivamente è il caso di dire, bambini che giocano alla guerra, a una guerra che ancora non conoscono, tra le rovine di una guerra che ancora non c'è stata; ma vista oggi, la fotografia sfugge a quella obiettività: è la fotografia di un dopoguerra. "Premonizione alla guerra civile" s'intitola un quadro, di surreale ossessione, di Salvador Dalì: ma mi pare sia stato fatto mentre la guerra era in corso o subito dopo. La vera premonizione è però questa: una fotografia (una fotografia!) del 1933.

Leonardo Sciascia

In this photo there is something prodigious about Henri's capacity to capture in a single picture the synthesis of a particular human condition, a particular event. If there were no title saying "Seville, Spain, 1933" and we were asked to guess the place and date, we would say it had been taken in one of the Mediterranean countries of Europe: in Spain between 1936 and 1939, in Sicily or Greece around 1943. In other words, in one of these countries, after the war. The fact that it was taken instead in Seville in 1933, three years before the alzamiento *and the civil war, lends it a sort of premonitory, mysterious ineffable feeling. From an objective point of view, they are children playing at war, at a war which they do not yet know, among the ruins of a war which has not yet been; but seen today, this photograph eludes this objectivity: it is the photograph of 'after the war'. "Premonition of Civil War" is the title of a picture, surrealistically obsessive, by Salvador Dalì. But I believe it was painted while the war was being fought or immediately thereafter. The real premonition is this photograph (a photograph mind you!) of 1933.*

Leonardo Sciascia

Si prenda a caso una fotografia ed ecco che diviene immagine la parte bassa di un muro, la spalla di uno sconosciuto, il cono di deiezione di un torrente, i resti del bosco o i rottami che qui si sono incagliati – tutto, niente, "la qualunque cosa" del mondo, i nonsensi, il niente che cerchiamo di dimenticare quando percepiamo la bellezza nelle nubi che passano. È dunque questo raggiungere un limite a cui nessuna altra vista può pretendere di arrivare. Anche lo sforzo di Goya, di incontrare nella vita il suo fondo in modo nudo resta tormentato da un porsi domande, un'angoscia che sono ancora l'ombra della speranza. È vero che non ci si ferma a questo secondo piano delle fotografie. Quelle che vi si riducono, le gettiamo via. Le immagini del vuoto non sono mai state esposte. Ma questa dimensione rifiutata assilla, ne sono certo, i fotografi più sensibili. Essi sanno che essa affiora dappertutto, come misura del tutto. E ciò che essi guardano, quello che decidono di fissare, è ciò che vi si oppone, ciò che dà senso, ma è ancora più vicino a questa origine e forse, visto in questo momento di nascita. L'oggetto della fotografia è un corpo, un riflesso sull'acqua, ma ciò che cerca di velare il "terrore del baratro" e non lo fa che lasciando filtrare un po' di questa tenebra nella propria figura insieme chiara e precaria: ciò spinge alla compassione.

Cos'è questa cesta di pere e, sembra, di nocciole, davanti alle fette di cocomero senza dubbio assalite dalle mosche, malgrado l'ombra? Una natura morta, che avrebbe colto, inquadrato, ritagliato il senso che ha Cartier-Bresson di ciò che egli chiama "geometria"? Difatti noi vediamo che egli ha provato piacere nel ravvivare in questi frutti, con il suo attacco verso il basso che raddrizza il suolo e riavvicina il punto di fuga, le vecchie leggi della prospettiva, quelle della chiesa vicina e delle sue ancone. L'idea del quadro si risveglia, in questa fotografia. Ma se vi è una natura morta, è perché l'aveva cominciata colui o colei che si era compiaciuto, nel negozio, o nell'angolo del cortile, di disporre con cura, sul vecchio giornale, fra le immagini sbiadite del cinema questi mucchietti di pere e nocciole. C'è la traccia di un gesto umano, in stretto contatto con l'indifferenza delle cose. E questa traccia soprattutto, mi sembra che Henri Cartier-Bresson abbia visto e fotografato. Il suo senso della composizione, della forma è intervenuto, ha portato a termine il lavoro, ne ha compreso l'intenzione, ma non assolutamente per profittarne. Non rivive l'umile gusto estetico che per simpatia per il vecchio bottegaio o la ragazza, che in questa mattina d'estate si erano inscritti così, nel loro spazio minimo, nel divenire dello spirito, senza per questo, evitare di essere meno mortali e quindi di ritornare polvere. Nessuno è presente in questa fotografia, ma tuttavia c'è qualcuno: proprio a causa della sua assenza. Qualcuno di cui il gesto della mano verso i frutti, esitando un po', prendendone uno, spingendolo verso gli altri, ha nello stesso tempo, nella sua presenza e assenza, reso l'immagine della nostra condizione, il rilancio della nostra fede.

Tivoli 1933: un po', insomma, come se Henri Cartier-Bresson attraverso la vetrata che manca al negozio, si fosse accorto egli stesso di qualche frutto.

Yves Bonnefoy

12

Tivoli, Italy 1933

Take a photograph by chance and it turns the lower part of a wall, the back of a stranger, the evacuation cone of a stream, the remains of a woods or the bits of rubbish which have been stranded here, into a picture. Turns everything -, nothing, "just anything" in the world, into a picture. The absurdities, that nothingness we try to forget when we notice the beauty of the clouds as they pass. It is, in other words, the attaining of a limit no other view can hope to reach. Even Goya's efforts to encounter the bare essence of life were tormented by a questioning and an anguish which continue to be the shadow of hope. It is true that no one pays attention to these secondary levels of a photo. If they amount only to that, they are thrown away. The icons of the void have never been put on exhibit. But this dimension that has been refused must, I am certain, haunt the more sensitive photographer. He knows that it surfaces everywhere, as a measure of all. And what he observes, what he decides to capture, is what contrasts with it, what gives meaning, but is still closer to this origin and can be seen in this moment of creation. The object of photography is not a body, a reflection on the water, but an attempt to veil the "terror of the void" and it does so only by letting some of this gloom filter into the figure that is both clear and precarious: this arouses our compassion.

What is this basket of pears and, apparently, hazelnuts, with slices of watermelon in the background, undoubtedly covered with flies, despite the shade? A still life, framed and cropped, that may have captured Cartier-Bresson's definition of what he calls "geometry"? It is evident that he took pleasure in reviving the old laws of perspective, to be found in the church nearby and its altarpieces, in this fruit, looking downwards so that the ground flattens out and the vanishing point comes closer. This photo calls to mind the idea of a picture. But if there is a still life, it is because it had been begun by someone who, in his shop, or courtyard corner, had taken pleasure in carefully arranging these piles of pears and hazelnuts on an old newspaper, in the midst of the faded images of the cinema. Traces of a human gesture, in close contact with the indifference of the things, are present. And it is above all these signs which I feel that Henri Cartier-Bresson saw and photographed. His sense of composition, of form came into play, brought the work to its completion, understood the intentions, but in the utter absence of any exploitation. His empathetic feelings for the old shopkeeper or the girl are what let him restore that humble simplicity of taste. In their limited space, they had, this summer morning, participated in a becoming of the spirit which did not however make them any the less mortal or less destined to return to dust. No one is present in this photograph, but, for all that, someone is: they are there because of their very absence. Someone whose hand moved toward the fruit, hesitated a bit, picked up one, pushed it towards the others, who at the same time, by that presence and absence, has given us a picture of our human condition, the relaunching of our faith.

Tivoli 1933 *is sort of as if Henri Cartier-Bresson had become aware of some fruit as he looked through the missing shop window.*

Yves Bonnefoy

Salerno, Italia, 1933

Forse a causa del mio soggiorno a Roma e dei miei legami con l'Italia mi hanno invitato a commentare questa foto di Salerno?

Nel 1933, fra il suo ritorno dall'Africa e la partenza per il Messico, munito della piccola Leica che aveva appena acquistato a Marsiglia e che non lo lascerà più, H.C. B. fa un giro in Spagna e in Italia, vecchi territori non ancora raggiunti dal turismo di massa e dalla trasformazione in paesi industriali. Egli aveva venticinque anni, il gusto dell'avventura, una formazione cosmopolita, letteraria e visiva, al servizio della sua curiosità compulsiva e del suo libero umanesimo. Si stava affermando il suo stile personale con la franchezza e freschezza degli inizi, nella disponibilità totale, sottratta agli ordini, di cui allora godeva. Ha praticato la caccia e la pittura. La fotografia, il modo di vivere e di vedere, è per lui come una specie di *tiro* alle immagini o di disegno accellerato sul motivo. Sopra il diaframma dell'apparecchio si realizza la fusione fra l'occhio destro, aperto, dice lui verso l'esterno e quello sinistro, rivolto verso l'interno.

Salerno, a sud di Napoli, è la città da cui si raggiungono due delle meraviglie della penisola, la costiera amalfitana e i templi di Paestum. Salerno è soprattutto celebre per la cattedrale e per il prestigio, nel medioevo, della sua scuola di medicina. Nella fotografia solo la qualità della luce e del substrato murario rivelano l'atmosfera campana, senza riferimenti topografici. H.C.B. ha dichiarato più tardi, che preferiva, per meglio cogliere il soggetto, operare con tempo leggermente coperto evitando la pressione del sole. Le opere del primo periodo, legate ai paesi mediterranei, sono spesso caratterizzate da forti contrasti d'ombra e di luce dalla loro tensione geometrica su assi oblique. Due influenze l'animano, il senso surrealista della sorpresa, del *caso oggettivo* e il rigore plastico tratto dal cubismo. Appreso dall'insegnamento di André Lhote egli ha il culto della sezione aurea e della sua portata universale. La *composizione* gli sembra essenziale in fotografia come in pittura, ma deve essere intuitiva, e si deve regolare, in una frazione di secondo, sul rettangolo assegnato a chi guarda, senza ritocchi né reinquadrature. Il panorama di *Salerno* ha la perfezione di una assonometria costruita sui rapporti di linee, superfici e valori fra due muri diversamente illuminati e il suolo adiacente. Ci fa sentire al tatto, prima dei pittori materici e della *texture*, le rughe pietrose del terreno, la grana variabile, le macchie, le irregolarità dei muri opposti: l'uno quasi di fronte, splendente, scandito da aperture e pilastri, l'altro obliquo, scuro, rugoso. Dovunque in Italia i muri antichi, anche i più umili, sono dei gioielli da contemplare. Questa foto non sarebbe tuttavia che una riuscita formale contemporanea al Bauhaus e al Moholy-Nagy senza i due elementi che ne coordinano i ritmi e ne innalzano la risonanza, la forma verticale del ragazzo che si staglia come un'ombra cinese e il carro trasversale dal timone affilato. Le ruote, dalle proporzioni etrusche calate sulla ghiaia, si inscrivono nella banda luminosa fra la parete chiara e il suolo nero. Lo strumento impone la bellezza della struttura millenaria e la rettitudine della sua collocazione. È anche il simbolo dell'antica civiltà rurale che sta scomparendo. Il bambino e il carro sono uniti da una triangolazione magica, in seno al sistema angolare della composizione. I bambini spesso appaiono come i protagonisti o i complici delle migliori immagini di H.C.B. Qui il monello posto davanti a noi e che smangiucchia la merenda apporta la sua presenza umana nella metrica spaziale. La testa si trova esattamente al centro di una disposizione tanto stretta quanto vibrante. Questo puro capolavoro ha acquistato il valore di emblema per l'autore e per la sua arte.

Jean Leymarie

Salerno, Italy, 1933

Did they invite me to comment on this photo of Salerno because I once sojourned in Rome and because of my ties with Italy?

In 1933, when he came back from Africa and before leaving for Mexico, H. C. B. traveled around Spain and Italy, old territories which had not yet been reached by mass tourism and the transformation in industrial countries. Armed with his small Leica which he had just bought in Marseilles and which was to accompany him everywhere, C. B. at twenty five had a love of adventure, a cosmopolitan formation, literary and visual, in the service of his compulsive curiosity and free humanism. His personal style was on its way to being affirmed with the frankness and freshness of beginnings, completely unfettered and free from orders as he was at the time. He went hunting and painting. Photography, the way of living and seeing, is for him a sort of image shooting or accelerated drawing of a motif. Over the diaphragm of the camera a fusion takes place between the right eye, open, he says, towards the outside, and the left eye, turned towards the interior.

Salerno, south of Naples, is the city from which two of the marvels of the peninsula can be reached, the Amalfi coast and the temples of Paestum. Salerno is famous above all for its cathedral and for the prestige its school of medicine enjoyed in the Middle Ages. In the photograph only the quality of the light and the substratum of the walls, in the absence of topographical references, tell you that it is Campania. H. C. B. later declared that he preferred working when the skies were slightly overcast to avoid the intensity of the sun, so that he could capture the subject better. The works of his early period, bound to the Mediterranean countries, are often characterized by strong contrasts of light and shade, by a geometric tension on oblique axes. Two influences animate this period, the surrealistic sense of surprise, objective chance, and the plastic rigor of cubism. He practiced the cult of the golden section and its universal reach, as taught by André Lhote. Composition seemed to him as essential in photography as it was in painting, but it had to be intuitive, and had to be regulated, in a fraction of a second, according to the rectangle furnished by the viewfinder, without retouching or cropping. The panorama of Salerno has the perfection of an assonometry constructed on the relationships of lines, surfaces and values between two differently lighted walls and the adjacent ground. Before the advent of painters interested in materials and textures, he makes us feel the stony crevices of the terrain, the variable texture, the spots, the irregularities of the two opposing walls: one almost across from us, glowing, articulated by openings and pilasters, the other oblique, dark, roughly pitted. Everywhere in Italy the ancient walls, even the humblest, are jewels to contemplate. This photo however would be nothing but a successful formal composition, contemporary with the Bauhaus and Moholy-Nagy, without the two elements which coordinate the rhythms and enhance its resonance, the vertical form of the boy silhouetted like a shadow puppet and the transversal cart with its pointed shaft. The wheels, of Etruscan proportions sinking into the gravel, are inscribed into the luminous band between the light wall and the black ground. This agricultural implement strikes us with the beauty of its millenary structure and the rightness of its placing. It is also the symbol of the old rural civilization which is disappearing. The child and the cart are joined by a magic triangulation, within the angular system of the composition. Children often appear as the leading figures or participants in Henri Cartier-Bresson's best pictures. Here the urchin placed before us, nibbling on his snack, brings his human presence into the metric space. The head is at the exact center of an extremely tightly arranged but vibrant scene. This outright masterpiece has become a symbol for the photographer and his art.

Jean Leymarie

Se molte sono le cose che devo ad Henri Cartier-Bresson, di una gli sono particolarmente grato: del suo essere totalmente immune dal sentimentalismo e dal pittoresco.

Guardate questa foto: vi si vede una donna con un bambino in braccio che dorme protetto da un velo. Soggetto rischioso. Ma quanto è lontana questa immagine dal plurisecolare fiume iconografico di "madri col bambino", mieloso di sentimentalismo.

Questa madre non rinuncia alla propria fiera individualità di donna; quel velo, ai miei occhi, soprattutto protegge il bambino e noi dal ricatto della retorica. Per me, che vengo da un'isola troppo popolata di madri mediterranee avvolte nello scialle nero del dolore, dove persino il dolore spesso gira in teatro, questa pulizia del sentimento non è cosa da poco. Come gran cosa è l'assenza del pittoresco, del compiacimento del pittoresco. La didascalia avverte che la foto è stata presa in Messico nel... Ed è tutto. Nessuna traccia di "messicanismo" di maniera. Ricordo quell'indimenticabile incipit di Sartre nella prefazione a *Da una Cina all'alltra*: "All'origine del pittoresco c'è la guerra." Ha scritto Alberto Savinio a proposito di Bach che l'uso che egli fa del contrappunto e della fuga hanno fatto della sua musica il miglior disinfettante estetico contro ogni inquinamento della retorica e dell'intellettualismo. La stessa cosa io penso di Henri e delle sue fotografie, della sua specialissima, stendaliana maniera di "mettere sulla stessa linea di mira l'occhio, la mente, il cuore". H.C.B.: "L'obiettivo ben temperato".

Ferdinando Scianna

While I owe much to Henri Cartier-Bresson , I am particularly grateful for one thing: that he is totally exempt from sentimentalism and the picturesque.

Look at this photo: it shows a woman holding a sleeping child protected by a veil. A dangerous subject. But how far this picture is from the centuries old iconographic river of "mothers and child", saccharine and sentimental.

This mother will never relinquish her proud individuality of being a woman; in my eyes, more than anything, that veil protects the child and us from the blackmail of rhetoric. I come from an island, overfull of Mediterranean mothers enveloped in the black shawl of grief, where even grief often makes its appearance in the theater, and the pristine quality of this feeling is not something to be taken lightly. Just as the absence of the picturesque, of self-satisfaction in the picturesque, is also a great thing. The caption simply says the photo was taken in Mexico in 1934. And that is all. No trace of mannered "Mexicanisms". I remember Sartre's unforgettable opening words in his preface to From One China to the Other*: "At the origins of the picturesque lies war."*

Alberto Savinio regarding Bach says that the way in which he uses counterpoint and fugue have made his music the best aesthetic disinfectant against pollution by rhetoric and intellectualism. I see Henri and his photographs in the same light, his very special Stendhalian manner of "putting the eye, the mind, the heart on the same line of sight". H.C.B.: "The well tempered lens".

Ferdinando Scianna

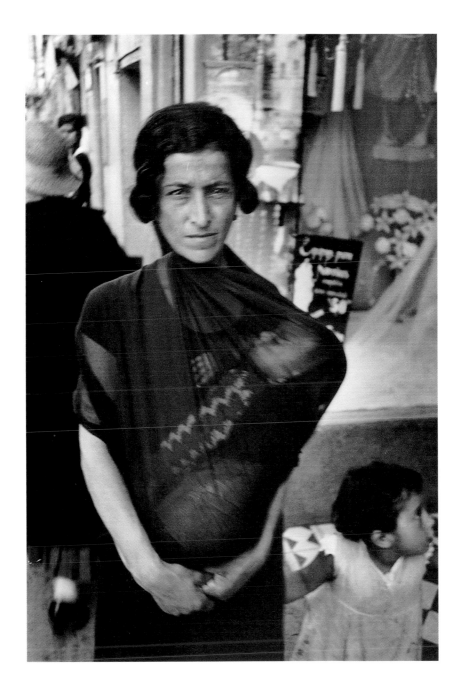

Il Cardinal Pacelli a Montmartre, Parigi 1938

Sincronismo o caso, questa scelta di Robert Delpire che mi manda questa immagine e non un'altra perché io ne parli?

Perché questa, quaranta anni fa, mi aveva colpito direttamente al cuore e agli occhi. Da storica dell'arte passo alla foto. Aveva cambiato il corso della mia vita. Fotografia fatale, trovata sfogliando un vecchio numero di "Verve" di Tériade, firmata Cartier, paradossalmente leggermente tagliata, datata 1938, essa si è messa sulla mia strada, a mille chilometri da Parigi con la sua data in otto, come le nostre ricorrenze, anni di giubilei e di profonde depressioni, qui da noi...

A Praga, nell'agosto 1988

Anna Fárová

Cardinal Pacelli visiting Montmartre, Paris 1938

Was it synchronicity or chance which made Robert Delpire send me this picture and not another so I could comment on it?

For this one, forty years ago, really struck home, both in my heart and my eyes. As an art historian I shall pass to the photo. It changed the course of my life. Fate had set this photograph, found leafing through an old number of "Verve" of Tériade, signed Cartier and paradoxically slightly trimmed, on my path, a thousand kilometers from Paris. It was dated 1938, a date ending in 8, like our anniversaries, years of rejoicing and profound depression, here among us...

In Prague, in August 1988

Anna Fárová

Sulla riva della Marna, Francia 1938

Se è vero che ammiro la sua opera da sempre è da troppo poco tempo che ne so il perché. O almeno che arrivo a formularlo. Io credo che quello che mi cattura di Cartier-Bresson è ciò che ho deciso di chiamare "la magia attraverso l'onestà". Niente di più onesto, è questa famosa foto del 1938 sulle rive della Marna. Pertanto, così come conserviamo della *Kermesse eroica* di Jacques Feyder il ricordo di un film a colori (ed è in bianco e nero), così io ho conservato di questa fotografia il ricordo dei colori di Manet e di Vuillard. E questo è prodigioso. Là io vedo già un Fronte popolare triste, minacciato. I congedi pagati sono stati scoperti nella festa di due anni prima. All'improvviso vicino alla Marna il piacere è diventato malinconico. Ma è una malinconia colorata. Il segreto di Cartier-Bresson, ai miei occhi, è che egli è in fondo un classico. Appartiene alla schiera di coloro per i quali l'arte è fatta di concisione, economia e suggestione - più che d'effetto di aggressione e di febbre. Questa arte contiene sia dei rifiuti che degli apporti e tutto quello che Cartier-Bresson rifiuta a se stesso arricchisce la sua visione e la sublima attraverso la semplificazione. C'è nella discrezione stessa dell'artista non soltanto un grande stile, ma un'efficacia che conduce – ed è qui che la magia opera – a un fremito trattenuto e altero. Questa è un'impresa a maggior ragione esigente più della tentazione prorompente di ricorrere sempre più alle tecniche e alle astuzie dell'effetto. Ora che la sofisticazione tecnologica mette alla portata di tutti la registrazione automatica di una realtà appena scelta, si vuol provare che lo sguardo dell'artista impone la sua legge a una realtà trasfigurata. Il semplice e coraggioso merito di Cartier-Bresson è quello di aver compreso che Racine e Baudelaire non avevano bisogno di inventare delle parole sotto il pretesto che ognuno potesse usarle. L'arte è consistita per essi nell'utilizzare queste parole in maniera unica e insostituibile. E se possiamo riconoscere così velocemente una foto di Cartier-Bresson, non è perché essa deforma l'aspetto degli esseri, degli oggetti o del mondo, ma, al contrario, perché lo rende con quella onestà ancora una volta dotata di magia.

Jean Daniel

On the banks of the Marne, France 1938

While I have always admired his work, it is only all too recently that I know why. Or at least that I can say why. I believe that what captivates me in Cartier-Bresson is what I have decided to call "the magic of being honest". There can be nothing more honest than this famous photo of 1938 on the banks of the Marne. Just as the La Kermesse héroïque *(Carnival in Flanders) by Jacques Feyder is recollected as a film in color (and it is in black and white), so this photograph summons up the colors of Manet and Vuillard. And this is prodigious. I can already sense foreboding, the dejected Popular Front. Paid vacations had been discovered in the holiday of two years before. Suddenly near the Marne pleasure has taken on a melancholy air. But it is a colored melancholy. As I see it, Cartier-Bresson's secret is that basically he is a classic. He belongs to the ranks of those for whom art is made of concision, thrift and intimation – more than effect, more than aggression and excitement. There is in this art as much that is refused as there is adduced and everything Cartier-Bresson refuses enriches his vision and sublimates it through simplification. In the discretion of the artist there is not only a great demeanor, but an effectiveness that leads – and this is where the magic works – to a repressed and lofty thrill. This undertaking is all the more exacting in view of the growing temptation to have recourse for effect to techniques and stratagems. Now that sophisticated technology makes it possible for everyone to automatically record a reality as soon as seen, there are those who affirm that the eye of the artist imposes his law on a transfigured reality. Cartier-Bresson's simple and courageous achievement is that of having understood that Racine and Baudelaire had no need of inventing words under the pretext that everyone could use them. For them art was using these words in a unique and irreplaceable way. And if we can recognize a photo by Cartier-Bresson at first glance, it is not because it distorts the appearance of beings, objects or the world, but on the contrary because it gives them to us with that honesty endowed once more with magic.*

Jean Daniel

In un campo di deportati, una donna riconosce l'informatrice della Gestapo che l'aveva denunciata. Dessau. Germania, 1945

Dessau 1945. Una donna riconosce l'informatrice della Gestapo che l' ha denunciata. Tutto è chiaro in questo terribile confronto, non ci sfugge nessuno dei suoi termini. Una donna dal viso deformato dall'odio ne trascina un'altra davanti al tavolo di una giustizia improvvisata. Con alcuni documenti ufficiali davanti a lui, l'uomo impassibile prende appunti, la folla guarda, lei aspetta: un grido, un colpo, quello che le darà il braccio nascosto della donna dietro di lei? Lo stile delle acconciature e dei vestiti, la tela militare della colpevole, e più ancora il pigiama a righe del giovane testimone a sinistra ci hanno raccontato la leggenda prima che la leggessimo: questa donna che abbassa la testa imbronciata, che serra i pollici nei pugni come un bambino rimproverato è una specie di mostro: un informatore, forse la "Kapo" di un campo di concentramento. Una colpevole: la donna dai capelli corti che sta per pagare; una vittima: la donna forte trionfante. Tutto è chiaro, tutto va bene: giustizia è fatta. Però non è questo ciò che *noi vediamo*, ciò che noi vediamo è un'altra cosa, tutta un'altra cosa, di una semplicità sconvolgente, assoluta. Certo noi vediamo una vittima e vediamo anche una colpevole. Ma non sono più le stesse. Fino a lì, senza saperlo, credendo soltanto di vedere, non abbiamo fatto altro che ragionare. Abbiamo dedotto, ricostruito una storia, applicato delle leggi, fatto trionfare il diritto. L'immagine però non ragiona; ignora la storia, le leggi, il diritto. Essa mostra. Propone alla nostra interpretazione dei segnali comuni, della vita: mostra una donna con i denti serrati, il corpo rigido, il viso contratto, che sta per colpire un'altra donna, una donna umiliata, una donna che soffre sotto lo sguardo crudelmente impaziente di una folla silenziosa. Una logica immediata ci spinge, un logica primaria, calda, materna, sentimentale e che non ragiona: ci viene uno slancio di pietà per questa donna con il viso da bambino cocciuto, per noi è lei la vittima e l'altra ci ispira repulsione.

Qualcuno dentro di noi si agita e vorrebbe ritrovare la mente fredda: suvvia, non dimentichiamo ciò che l'una ha fatto e ciò che l'altra ha sofferto! Questo moto di frusta compassione, di pietà ignorante ci disturba; questi slanci ci fanno orrore: come non detestare questo calore di sentimenti che abolisce qualsiasi idea di giustizia e di diritto? Come non immaginare, e compiangere, un mondo in cui domina l'immagine senza il soccorso della pura ragione, per cui gli avvenimenti della storia e le azioni degli uomini potrebbero essere valutati secondo il grado di compassione o di odio che suscitano? In cui il solo criterio di giustizia, verità e diritto fosse il criterio del cuore? Sarebbe dimenticare che anche la giustizia è una passione e che la sua stessa freddezza è un luogo in cui si annienta ogni sentimento umano. Ritorniamo dunque ancora una volta a questa immagine esaminiamola senza paura, esaminiamo noi stessi. Ritroviamo, cerchiamo di provare di nuovo lo slancio di pietà incontrollata che ci ha sommerso con nostra grande vergogna: non lo possiamo abolire, è ancora lì; non si può strappare questa immagine: essa resta. Grattiamo la superficie di questa pietà che ci disturba, questa sconvolgente compassione. Vi risiede una verità difficile: anche il colpevole è un uomo che soffre, la sofferenza del colpevole appanna le gioie legittime e le tranquille certezze della giustizia soddisfatta. Tuttavia bisogna andare ancora più in là, bisogna salire ancora: non basta che il colpevole riceva la nostra pietà, egli deve conoscere anche il nostro perdono. Eccoci al punto. Non possiamo sfuggire: non dobbiamo temere il perdono, perché il perdono non tradisce nulla, non rinuncia a nulla: né alla verità, distinguendo chiaramente i carnefici dalle vittime; né al diritto che impone che la donna colpevole sia punita; né alla memoria che prescrive che non sia dimenticato nulla delle malvagità né delle sofferenze; né alla giustizia, che deve essere resa. Tuttavia bisogna perdonare: è l'altra giustizia che spesso si dimentica di rendere al colpevole.Il solo diritto che gli resta è quello del perdono. Tuttavia persiste il disagio: ogni volta che guardiamo di nuovo questa foto rinasce il sentimento di una pericolosa incapacità di distinguere e dobbiamo sempre con un calcolo superiore liberare dagli slanci irragionevoli della compassione la sovrana necessità del perdono. Perché il perdono non può, non deve essere solo l'espressione di una pietà che ci riunirebbe confusamente tutti, aguzzini e vittime, nell'eguaglianza della sofferenza e della morte. Il perdono è il frutto e l'esercizio della ragione, è la possibilità per le passioni di regolarsi e purificarsi: tutte le passioni compreso quella del diritto e della verità. E anche quando la natura del crimine esclude il colpevole dall'umanità, è attraverso il perdono che il colpevole, fatta giustizia, può tornare ad appartenervi.

Danièle Sallenave

Exposing a stool pigeon for the Gestapo in a displaced persons camp, Dessau, 1945

Everything is clear in this terrible face to face, not a single term escapes us. A woman, her face distorted by hate, drags another woman to an improvised table of justice. With a few official documents before him, the impassive man takes notes, the crowd watches, she waits: a cry, is the partially hidden arm of the other woman about to strike her? The hair styles and the clothing, the uniform of the guilty woman, and even more the striped pajamas of the young witness on the left have told us the caption even before we read it. This woman who lowers her head sulking, hiding her thumbs in her clenched fists like a child that has been scolded, is a sort of monster: an informer, perhaps the "Kapo" of a concentration camp. One is guilty: the woman with short hair about to pay her debt; one is a victim: the strong triumphant woman. It is all clear, everything is O.K.: justice has been done.

But this is not what we see, what we see is something else, quite something else, of an absolute, disturbing simplicity. True we do see a victim and we also see a guilty person. But they are not the same. Up to this point, unawares, thinking only that we are seeing, we have done nothing but reason. We have deduced, reconstructed the story, applied the laws, with the triumph of the law. But the picture does not reason; it ignores history, laws, the law. It shows. It proposes common signals of life for our interpretation. It shows a woman with her teeth clenched, her body rigid, her features contracted, who is about to hit another woman, a woman who has been humiliated, who is suffering under the cruelly impatient looks of a silent crowd. An immediate logic, a primary, warm, maternal, sentimental unreasoning, logic takes over. We feel a rush of pity for this woman with the face of stubborn child, for us she is the victim and we find the other one repulsive. Someone within us is uneasy and makes an attempt at regaining composure: come on, don't forget what the one did and what the other one suffered! This impulse of simple-minded compassion, of ignorant pity disturbs us; these outbursts horrify us: how could we not detest this rush of feelings which does away with any idea of justice and law?

How can we avoid imagining, and pitying, a world dominated by the image without the aid of pure reason, where the events in history and the actions of men might be judged according to the degree of compassion or hate they arouse? In which the sole criteria of justice, truth and law were the criteria of the heart? It would be forgetting that justice too is a passion and that its indifference is a place in which all human feelings are annihilated. Let's then go back to this picture once more. We are no longer afraid of it. Let's study it, let's study ourselves. We rediscover, we try to feel anew that rush of uncontrolled pity which washed over us to our great shame. We cannot abolish it, it is still there. This image cannot be torn out, it remains. Let's scratch the surface of this pity which disturbs us, this overweening compassion. It contains a difficult truth: the guilty one is also an individual who suffers, the suffering of the guilty one fogs over the legitimate joys and tranquil certainties of justice satisfied. Even so one must go still further, one must rise up even more: it is not enough that the guilty party receives our pity, he must also know our pardon. And that is the point. We cannot escape: we must not fear pardon, for pardon betrays nothing, renounces nothing: not the truth, distinguishing clearly between the executioners and the victims; not the law which decrees that the guilty woman be punished; not memory which prescribes that none of the evil or suffering be forgotten; not justice, which must be done. Even so one must pardon: this is the other justice which often forgets to render to the guilty one. The only right remaining to him is that of pardon. Even so we remain uneasy. Every time we look at this picture the feeling of a dangerous incapacity to distinguish rears its head and we are forced to use our intellect in liberating the sovereign need for pardon from the unreasoning outbursts of compassion. For pardon cannot, must not be simply the expression of a pity that would put us all together in the same boat, torturers and victims, in the equality of suffering and death. Pardon is the fruit and exercise of reason, it is the possibility given the passions to regulate and purify themselves: all the passions including that of law and truth. And even when the nature of the crime excludes the guilty person from humanity, it is through pardon that the judges still make him part. More: it is through pardon that the guilty one once more is part of humanity.

Danièle Sallenave

Irène e Frédéric Joliot-Curie, Parigi 1945

È opinione comune oggi che le fotografie non costituiscano una prova: si è perfino arrivati a suggerire che esse sarebbero piuttosto uno strumento per misurare la credulità. Sarebbe erroneo perciò supporre che i due personaggi che in questa foto appaiono così profondamente inquieti, siano in realtà infelici. Certo essi sembrano al limite della disperazione - questo si legge non solo sui loro volti, ma anche sull'affossamento ansioso delle loro spalle, nella sfiducia che la mano sinistra testimonia alla destra, nel grigiore gotico della luce. Quei due sembrano più abbandonati di Adamo ed Eva dopo la cacciata dal paradiso, ancora più vulnerabili di Giovanni Arnolfini e sua moglie. In realtà erano tutti e due famosissimi e figli di persone famose; tutti e due erano fisici noti, il cui parere era autorevole. Lui dichiarava di essere nato in una famiglia borghese, di aver ricevuto una buona educazione di essere riuscito ad ottenere una posizione finanziaria agiata e aggiungeva che il suo ambiente gli avrebbe perdonato qualunque peccato, meno quello di essere comunista. Tre anni dopo questa fotografia Frederic Joliot-Curie fu nominato presidente del Comitato del Congresso Mondiale dei Partigiani della Pace cui Picasso offrì il disegno della colomba, o del piccione.

Frederic Joliot-Curie aveva quarantacinque anni quando questa foto fu scattata e Irene quarantasette.

Lei è morta nel 1956, l'anno in cui Kruscev denunciò Stalin. Suo marito è morto nel 1958 l'anno in cui Charles De Gaulle dopo dodici anni di assenza venne eletto Presidente della Repubblica Francese.

John Szarkowski

Irène and Frédéric Joliot-Curie, Parigi 1945

It is now widely understood that photographs prove little; it has even been suggested that they may serve best as a device to measure credulity. It would therefore be a mistake to assume that the two people in this picture, who look so deeplly troubled, are in fact unhappy. It is true that they appear close to desperation not only in their faces but in the anxious inflection of their shoulders; in the distrust (in each) of the left hand for the right; in the dank gothic greyness of the light. These two seem as forlorn as Adam and Eve after the Expulsion, more vulnerable even than Jean Arnolfini and his bride.

In fact they were both great successes, and children of successes; both were Nobel Laureates; both distinguished physicists, and people whose voices were heard. He said that he had been born to the affluent middle-class, that he had received a good education, had been successful, was comfortably well-off, and that his class would have forgiven him any sin, except that of being a Communist.

Three years after this picture was made Fréderic Joliot-Curie was appointed President of the Committee of the World Congress of Partisans for Peace, to which Picasso gave the drawing of the dove, or pigeon.

Fréderic Joliot-Curie was forty-five when the picture was made; Irène, daughter of Pierre and Marie Curie was forty-seven. She died in 1956, the year in which Khrushchev denounced Stalin. Her husband died in 1958, the year in which Charles De Gaulle was, after a twelve year absence, again elected President of France.

John Szarkowski

"Come l'albero in fiore non è che il segno indifferente della resurrezione della primavera, la croce diventa il segno patetico dell'assenza di resurrezione. È come se avessimo preso una targa automobilistica dal cimitero delle auto e l'avessimo eretta a simbolo millenario dell'assenza della salvezza. Quarant'anni dopo Gesù non è ancora apparso. Ma nessuno in fondo lo aspettava. Tanto è vero che la profonda America culmina nel simulacro e diviene indifferente alla stessa propria salvezza. L'immagine stessa, troppo vera per essere vera, diviene indifferente al proprio stesso senso."

Jean Baudrillard

"As the flowering tree is nothing but the indifferent sign of the resurrection of spring, the cross becomes the pathetic sign of the absence of resurrection. It is as if we had taken a license plate from the auto graveyard and set it up as the millennial symbol of the absence of salvation. Forty years later Jesus has still not appeared. But nobody really expected him. After all the profound America culminates in the simulacrum and becomes indifferent to its own salvation. The image itself, too real to be real, becomes indifferent to its own meaning."

Jean Baudrillard

Srinagar, Cashmir, 1948

Non conoscevo questa foto di Henri e non sono mai stato in India. Ignorando l'opera e il suo modello, com'è che a prima vista, in un batter d'occhio, paragonabile a quello che ha dato origine a questo modo di dire, io riconosco quello che non posso che chiamare la bellezza ? Cos'è questo "riconoscimento" se non, nel suo doppio senso, ricordarsi d'un tratto di uno sconosciuto che invece conosciamo da sempre, ed essere grati all'autore di provare questo sentimento che egli ci restituisce ?

Certamente se questa foto mi tocca, è perché immediatamente, essa rivela ai miei occhi tutto un tesoro di ricordi che associati, sia così liberamente, nello spirito, sia così rigorosamente, disposti sulla pellicola sensibile, appartengono alla mia vita, alla mia esperienza, alle mie conoscenze, a quello che ho visto, a quello che ho letto, a quello che ho provato.

Questa pianura, queste montagne, questi grigi, questi scorci io li ho visti la settimana scorsa tra il lago di Garda e Trento, in questo luogo strano e desolato in cui Dante si ispirò per immaginare il deserto di pietra del suo *Inferno*. E queste donne riprese di spalle, nel loro lungo vestito dalle pieghe pesanti e verticali, la testa coperta da un velo, io le ho viste due settimane fa. A Padova, all'Arena. Sono le donne dell'*Incontro presso la Porta d'Oro*. Esse hanno lo stesso atteggiamento, lo stesso volume, la stessa nobiltà. Il loro piede sul suolo, ha la stessa base. Anche Giotto, se rivivesse, le riconoscerebbe. Quella in piedi che alza le mani verso il cielo, sembra far salire le nubi. Il suo gesto di preghiera è uno dei più antichi e dei più belli possibili. Lei soppesa la leggerezza delle nubi che non pesano di più di un velo fotografico. Lei glorifica la leggerezza del mondo che è un tessuto fatto di apparenza, sempre mutevole e sempre rinnovato. È per testimoniare la sua umiltà davanti alla leggerezza delle cose che lei si copre la testa e il corpo di una veste a pieghe pesanti. L'occhio del fotografo ha distinto, nell'attualità del momento e nella lontananza geografica un'assemblea che ci parla ancora oggi.

Mi si scusi di parlare di bellezza in questo secolo dedicato al brutto, la foto che appare alla vista è bella perché ha il potere di evocare all'istante, a partire da elementi "estranei", tutto un tesoro di ricordi che non è altro che l'enigma rinnovato di quello che in Occidente chiamiamo "cultura".

Jean Clair

28

Srinagar, Kashmir, 1948

I had never seen this photo by Henri nor have I ever been in India. Not knowing either the work or its model, how then is it that at first sight, in the blink of an eye, literally in the blink of an eye, I recognize what I can only call beauty? What is this "recognition" if not, in its double meaning, remembering all of a sudden someone unknown whom we have really always known, and being grateful to whoever has given us back this feeling?

Surely if this photo moves me, it is because immediately it opens my eyes to a treasure trove of memories which together, whether freely associated in the spirit or rigorously arranged on a sensitive film, are a part of my life, my experience, of what I know, of what I have seen, what I have read, what I have felt.

I had glimpses of this plain, these mountains, these tones of gray, these fragmentary views last week between the Garda Lake and Trento, in that strange and desolate place which inspired Dante for the stone desert of his Inferno. And these women seen from behind, their long garments with heavy vertical folds, their heads covered by a veil, I saw them two weeks ago. In Padua, in the Arena Chapel. They are the women in the Meeting at the Golden Gate. *Their poses, their volume, their nobility is the same. Their feet on the ground, have the same base. Giotto, if he were alive again, would recognize them. The one standing, raising her hands skywards, seems to be lifting up the clouds. Her gesture of prayer is one of the oldest and loveliest possible. She is weighing the lightness of the clouds which weigh no more than a photographic veil. She is glorifying the lightness of the world which is a fabric woven of appearances, ever changing and ever renewed. It is to bear witness to her humility before the lightness of things that she covers her head and body with a garment of heavy folds. In the actuality of the moment and a geographical distance, the photographer's eye has singled out a grouping that still speaks to us today.*

Forgive me for speaking of beauty in this century dedicated to ugliness. The photo is beautiful because it has the power to evoke, right then and there, apart from the "foreign" elements, a whole treasure trove of recollections which is nothing but the renewed enigma of what in the West we call "culture".

Jean Clair

Ultimi giorni di Kuomintang, 1949

Si direbbe che egli porti un compasso delle proporzioni nel suo occhio. In effetti, ogni immagine fotografata da H.C-B è rigorosamente definita attraverso le sue proporzioni, la sua dinamica e la ripartizione dei bianchi e neri. I soggetti gli vengono miracolosamente, come a comando. Gli vengono formulati prima. Come l'aquila, il suo occhio, occhio di pittore, è in agguato. Egli vede in un soggetto qualunque, ciò di cui è fatto e visto così , nessun soggetto è indifferente. L'immagine davanti a me (essa ricorda per la sua composizione la *Decollazione di San Giovanni* del Caravaggio), *Ultimi giorni di Kuomintang,* Pechino 1949: in uno spazio orizzontale perfettamente in squadra, due uomini. L'uno immobile, che guarda altrove, l'altro, che mangia e guarda nella sua ciotola. Il nero a sinistra e il bianco a destra provocano la tensione. All'angolo d'ombra nera a sinistra, risponde la porta a destra, sopra la quale un secondo rettangolo collegato genera un ritmo ipnotico. A sinistra una porta che dà su un vuoto nero, la cui apertura è un rettangolo invertito, inquadra in contrappunto, il cinese immobile che guarda altrove. Alla sua immobilità silenziosa risponde l'uomo seduto che mangia. Si trova proprio nell'intersezione armonica della sezione aurea. Tiene una ciotola in mano. Un'altra ciotola, posata sul banco, risponde come un'eco alla prima. La calotta nera è il loro contrappunto.

Delle ombre tagliate e diagonali rompono dall'alto in basso e da destra a sinistra, turbando l'orizzontalità piacevole della scena. Tutto questo ha a che fare con il miracolo.

Avigdor Arikha

30

Last Days of Kuomintang, 1949

One might say that he carries a compass of proportions around with him in his eye. In truth, every picture H.C-B takes is rigorously defined by its proportions, its dynamics and the distribution of blacks and whites. The subjects seem to come to him miraculously, upon command. They are formulated first. Like the eagle, his eye, the eye of the painter, lies in wait. He sees the essence in any subject whatsoever and seen as such, no subject is indifferent. The picture before me (in its composition it recalls Caravaggio's Beheading of St. John*), The Last Days of Kuomintang, Peking, 1949: in a perfectly squared horizontal space, two men. One immobile, looking elsewhere, the other, eating and looking into his bowl. The black on the left and the white on the right cause the tension. The corner of black shadow on the left, corresponds to the door on the right, above which a second connected rectangle generates a hypnotic rhythm. On the left a door which leads to a black opening, in the shape of an inverted rectangle, frames in counterpoint the immobile Chinese who is looking elsewhere. The seated man eating corresponds to his silent immobility. He is at the harmonic intersection of the golden section. He holds a bowl. Another bowl, set on the low table, echoes the first. The black cap is their counterpoint.*

Hatched diagonal shadows disturbingly break the pleasing horizontality of the scene from top to bottom and from right to left. All of this is part of the miracle.

Avigdor Arikha

Eunuco alla corte dell'ultima dinastia. Pechino, 1949

Dell'ultimo Imperatore, la cui catena di diecimila avi fu spezzata da serie innumerevoli, il piccolo Eunuco fu il testimone dagli occhi sconvolti dalla Luce che si è spenta, soffiata via dalla collera degli uomini contro i loro Muri.

Victor Segalen ha visto questo schiavo accartocciato del Figlio del Cielo, Cartier-Bresson l'ha incontrato per la strada come l'anonimo passante dell'innominabile.

Questa è la storia di ciò che si vede: l'incessante risveglio dei dormienti, sempre sorpresi dalle parole di rivolta e di lotta. Non si vede che la distruzione, la costruzione è invisibile.

L'imperatore stesso aveva fatto segno che si spengessero subito tutte le luci, cosa che gli Eunuchi paurosi di loro stessi non avrebbero nemmeno osato. Aveva detto loro di aprire la Porta. Ma essi non avevano istruzioni. L'Imperatore ritornò solo al palazzo del Governo Inesistente.

Cartier-Bresson prova, una volta ancora, che non si fotografano che fantasmi e che la Storia è un incubo da cui occorre risvegliarsi per inventarne un'altra. Senza Eunuchi, quindi anche senza Imperatore.

Alain Jouffroy

Eunuch, former servant in the Imperial Court of the Last Dynasty. Peking, 1949

The little Eunuch, his eyes stricken by the Light that was extinguished, blown away by the fury of men against their Walls, was the witness of the last Emperor, whose line of Ten Thousand Ancestors was broken by innumerable series.

Victor Segalen saw this wizened slave of the Son of Heaven, Cartier-Bresson met him in the street as an anonymous passerby of the unnamable.

This is the story of what they saw: the incessant awakening of the sleepers, continuously surprised by the words of revolt and struggle. Nothing but destruction can be seen, construction is invisible.

The emperor himself had given the signal that all the lights were to be put out immediately, a thing the fearful eunuchs would never have dared to do on their own. He had told them to open the Gate. But they had no instructions. The Emperor returned alone to the palace of the Inexistent Government.

Once more, Cartier-Bresson proves that what one photographs are ghosts and that History is a nightmare from which one has to wake to invent another. Without Eunuchs, therefore also without Emperor.

Alain Jouffroy

Nella mia memoria, il primo libro che ho visto con le foto di HCB è stato *Le danze a Bali* edito da Robert Delpire nel 1954, con un testo di Antonin Artaud, "Il teatro balinese". Questo testo mi ha attirato poiché in Italia, verso quegli anni, la cultura cominciava a recuperare il suo ritardo in materia di teoria e di studi della fotografia. Poi tutti hanno conosciuto HCB e questa fotografia del 1952 della città de L'Aquila ne ricorda oggi molte altre fatte in Italia. Magnifiche di verità artistica.

Gae Aulenti

As far as I can remember, the first book I saw with photos by Henri Cartier-Bresson was Les Danses à Bali *published by Robert Delpire in 1954, with a text by Antonin Artaud, "Le théâtre balinais". This text caught my attention because it was around then in Italy, that there was a growing awareness of what the theory and study of photography was all about. After that everyone got to know Henri Cartier-Bresson and this photograph of 1952 of the city of L'Aquila brings to mind many others taken in Italy. Splendid examples of artistic verity.*

Gae Aulenti

Messa di mezzanotte a Scanno in Abruzzo, Italia, 1953

Tutta l'Italia meridionale si trova là: le tre teste calve infagottate in cappucci neri, come gufi di notte pietrificati dalla luce, i tre cappelli neri, da cui un uomo che si rispetti non si separa mai, posati direttamente sull'altare, le candele accese davanti alla pia immagine, i pilastri di marmo di cui non è priva neanche la chiesa più povera e soprattutto il contrasto fra il bianco dei paramenti dell'altare e il nero dei vestiti.

Messa di Natale, colta nella forza e nella magia di opposizioni rudimentali, nel cuore dell'Abruzzo selvaggio.

Liturgia del sacrificio, nel paese delle bianche colate di luce e di neri spaventi.

Dominique Fernandez

Midnight Mass in Scanno in Abruzzo, Italy, 1953

All southern Italy is there: the three bald heads muffled up in their black capes, like night owls petrified by the light, the three black hats, with which a man who respects himself never parts, set directly on the altar, the candles burning before the pious image, the marble pilasters there in even the poorest church, and above all the contrast between the white of the altar cloths and the black of the clothing.

Christmas Mass, captured in the power and magic of basic contrasts, in the heart of wild Abruzzo.

Liturgy of the sacrifice, land of white outpourings of light and terrifying blacks.

Dominique Fernandez

Mensa degli operai che lavorano alla costruzione dell'Hotel Metropol, Mosca 1954

"Anche in una scena in cui le persone si sforzano sinistramente di provare qualche piacere dopo lunghi giorni di duro e polveroso lavoro, la natura sembra metterli in posa per l'obiettivo di Cartier-Bresson in maniera tale che i loro volumi si equilibrino e che il loro ordine e i loro rapporti manifestino l'energia di una cosa a parte, di un momento di vita separato."

Arthur Miller

Canteen for construction workers building the Hotel Metropol, Moscow 1954

"Even in a scene where people are awkwardly trying to experience some pleasure after long days of hard, dusty labor; nature seems to arrange them for Cartier- Bresson's lens so that their volumes very nearly balance and their arragement and relationships sustain the energy of something set apart, a separated moment of life".

Arthur Miller

All'ippodromo di Curragh nei pressi di Dublino, Irlanda, 1955

Rigore di composizione. Infallibilità di inquadratura.

Questo è lo stampo indelebile di cui Henri Cartier-Bresson non potrà mai disfarsi. Nessuno ha mai usato la parola malizia nei suoi riguardi. Guardate questa immagine in cui l'ordine sembrerebbe regnare apparentemente in armonia perfetta con la pettinatura, la generosità del vestire, la couperose, tutto è indiscutibilmente britannico. La presenza di un elemento indocile ha catturato l'attenzione di Henri Cartier-Bresson così lui ha appena messo nel punto focale della composizione questo fiore che logicamente il cavallo dovrebbe avere in bocca, perché si dice bocca per un cavallo come si dice fauci per un leone. Nelle fauci del leone, mentre per la femmina dell'oca bisogna usare la parola becco. Il becco d'anitra che permette di aprire le porte. Ma questa digressione ci allontana dal soggetto. In breve, lo spostamento di un dettaglio in un insieme è sempre sconcertante.

La ricetta è stata utilizzata da Jacques Prévert nella sua poesia *Cortege*.

Ricordate: una piccola suora del Bengala con una tigre di San Vincenzo de' Paoli.

Riassumendo mi pare che si sappia che Henri Cartier-Bresson non è impermeabile all'humour, anche se ostenta talvolta un'apparenza di Principe senza sorriso.

Robert Doisneau

At the Curragh race track, Dublin, 1955

Rigorous composition. Infallible framing - the indelible marks always to be found in the work of Henri Cartier-Bresson. No one ever used the word artfulness in his regards. Observe this picture in which order seems to reign in an apparently perfect harmony with the derby hat, the baggy jacket, the blotchy complexion, all so very British. The presence of an unexpected element captured the attention of Henri Cartier-Bresson and so he simply centered his composition on the flower which the horse would logically have in his mouth. For a horse does have a mouth, just as a lion has jaws. In the jaws of the lion, while for the goose one uses the word beak… But this digression takes us away from the subject. To make it short, the shifting of one detail in a whole is always disconcerting.

The formula has been used by Jacques Prévert in his poem Cortège.

Remember? a small Bengali nun with a tiger from Saint Vincent de Paul.

To recapitulate, I believe it is common knowledge that Henri Cartier-Bresson is not immune to humor, even if he sometimes pretends to be an unsmiling Prince.

Robert Doisneau

Alberto Giacometti, 1961

Di tutte le fotografie accumulate da Henri nella sua scatola delle malizie, la mia scelta si porta inesorabilmente verso quella di Alberto Giacometti che attraversa la rue D'Alesia sotto la pioggia per recarsi alla tabaccheria Didot.

Coloro che ebbero il privilegio di incontrarlo a quel tempo, comprenderanno quanto questo documento possa rivelarsi inestimabile sia per il valore affettivo, che per la storia che rivela. È per questo che il nostro incontro fu determinante: mi ha impedito di cadere in una delinquenza tardiva perché io pur di recuperare questa foto avrei fatto ricorso a qualsiasi bassezza.

Sam Szafran

Mi piace questa fotografia di H.C-B. perché l'attimo è naturale e composto, rischiarato di una luce perfetta per l'occhio umano e il cielo variabile, perché essa significa, con la discrezione di un battito di ciglia, molto di più di ciò di cui ne abbia l'aria (ma tutto questo con Henri è il minimo). Io la scelgo perché due uomini che io amo/ammiro vi incrociano i loro sguardi un giorno di pioggia nel quattordicesimo arrondissement, fra la rue di Moulin Vert e la rue D'Alesia, fra l'atelier di Alberto Giacometti e il ristorante verso cui lui ed Henri stanno correndo sotto la pioggia. Essi continuano nell'abitudine di incrociare il loro sguardo fra l'assenza oggi di Alberto e la presenza di Henri.

H.C-B. non è nell'immagine, ma è nell'immagine, perché egli *è* l'immagine.

Non era che un giorno come gli altri, una pioggia qualsiasi, un angolo di strada banale, un attraversamento pedonale senza storia. È un'istantanea , firmata amicizia.

A fianco del suo amico il signore rurale di epoca romana Alberto il Magnifico, Henri ha dovuto affrettare il passo come lui sotto l'avversità bagnata ed essi erano l'uno accanto all'altro, compagni nel mattino piovoso come nella loro vita. Poi Henri ha fatto quattro agili piroette da gatto, tirando fuori la sua fedele Leica grigia colore dei muri (sempre appesa al collo, vicino al cuore) ed ha guardato dritto. Dritto nello sguardo di Alberto che guarda Henri.

Pioggia, puoi piovere. Assenza, dov'è la tua vittoria?

Claude Roy

Alberto Giacometti, 1961

Of all the photographs accumulated by Henri in his box of tricks, my preference unquestionably goes to the one of Alberto Giacometti crossing Rue D'Alésia in the rain on his way to the Didot tobacco shop.

Those who were fortunate enough to meet him then, will understand how priceless its affective value is, and the story it reveals. This is why our encounter was determining: it stopped me from becoming a middle-aged delinquent because I would have done anything to get my hands on this picture.

Sam Szafran

I like this photograph by H. C. B. because the moment is natural and composed, illuminated by a perfect light for the human eye and the overcast sky, for it signifies, as discretely as a wink, much more than it seems to (but with Henri all this is in the course of things).

I choose it because two men whom I love/admire are looking at each other on a rainy day in the fourteenth arrondissement, between Rue di Moulin Vert and Rue D'Alésia, between the studio of Alberto Giacometti and the restaurant to which he and Henri were scurrying in the rain. They continue to look at each other today with the absence of Alberto and the presence of Henri.

H. C. B. is not in the picture, but he is in the picture, for he is the picture.

It was just a day like any other, a rain like any other, a banal street corner, a pedestrian crossing without any history. It is a snapshot, signed friendship.

It was wet and both Alberto the Magnificent, a country gentleman of Roman times, and Henri had to quicken their pace. They went along, side by side, companions on a rainy morning as they were in life. Then Henri did four deft cat pirouettes, pulling out his faithful Leica, gray like the walls, (always hung around his neck, near his heart) and looked. Looked straight into the eyes of Alberto who is looking at Henri.

Rain, go ahead and rain. Absence, where is your victory?

Claude Roy

Tre uomini, di spalle.

Alcuni sassi, disposti in un certo ordine.

Una luce d'alba sbiadita.

Quale altro cacciatore di immagini avrebbe scelto questo materiale per manifestare gli oltraggi calamitosi di questo tempo e dirne, a forza di silenzi, il rumore e il furore ?

"Classico", Cartier-Bresson ?

Assicurato in ogni caso, come Poussin e Chardin, che il significato di una immagine riguarda l'economia dei mezzi.

Jean Lacouture

Three men, from the back.

A few stones, arranged in a certain order.

Bleached out light of dawn.

What other image hunter would have chosen these elements to give expression to the calamitous extremes of these times and, by dint of silence, tell of the sound and of the fury?

"Classic", Cartier-Bresson?

Whatever the case, no question but that, like Poussin and Chardin, the meaning of an image depends on the economy of the means.

Jean Lacouture

Si vede la madre. Anche se il quadro è storto, lei resta dritta.
Lei è sempre stata imponente. Da viva e poi da morta. Ora che non è lei che si affretta.
Si scorge la testa e la gonna di colei che porta il ritratto.
Una bambina il cui occhio inquieto è attratto da quello che sta dietro.

Lei non ha affatto amato tutto ciò.
Né quando il ritratto era sulla parete di fronte al letto in cui stava morendo il nonno,
sempre più magro, né quando è morto
– ed è stato necessario guardarlo –
né la sepoltura né la famiglia che piangeva, né il trasloco da una casa all'altra.
I bambini aiutavano. Si è staccato il ritratto. Il muro era sbiadito dietro.
Si dice che la nonna era severa.
È lei che ha dovuto portarla. Cammina velocemente, è pesante.
Lei, lei non ha conosciuto che suo nonno.
E ora dove sono? Affretta il passo. Se mettono il ritratto vicino al mio letto, non potrò dormire...

Mi piacciono quelli che portano immagini di volti.
A partire dalla Veronica, che ha presentato il viso di Gesù sul fazzoletto,
prima foto al nitrato di sudore e di lacrime.

Agnès Varda

You can see the mother Even if the picture is lopsided, she is always upright.
She has always been imposing. Alive and then dead. Now that it is not she who is hurrying.
You can see the head and the skirt of the one carrying the portrait.
A small girl whose restless eye is drawn to what is behind her.

She had no love for all of that.
Not when the portrait was on the wall opposite the bed in which the grandfather was dying,
thinner and thinner, nor when he died
- and one had to look at him -
nor the burial nor the family weeping, nor the moving - from one house to the other.
The children helped. The portrait was taken down. The wall behind it was faded.
They say that grandmother was strict.
She was the one who had to carry it. She walks fast, it is heavy.
She, she never knew anyone but her grandfather.
And now where are they? She walks faster. If they put the portrait near my bed, I won't be able to sleep…

I like those who wear images of faces.
To begin with Veronica, with the face of Jesus on her handkerchief,
The first nitrate photo of sweat and tears.

Agnès Varda

Indice   Index

*Finito di stampare
nel mese di marzo 1999
presso Arti Grafiche Pezzini - Viareggio*